D1500999

Clotilde
aide sa nouvelle amie

Texte de Yann Walcker
Illustrations de Romain Mennetrier

AUZOU

Lentement, le soleil se lève sur la charmante forêt de Saint-Hibou-les-Châtaignes.

Comme chaque matin, Clotilde enfile ses chaussons
et descend dans la cuisine picorer son petit déjeuner en famille :
un grand bol d'asticots soufflés, délicatement caramélisés,
mmm… rien de tel pour bien commencer la journée !

Après une rapide toilette, Clotilde attrape son cartable et, d'un coup d'aile, rejoint ses amis dans le ciel.

« Le dernier arrivé à l'école n'est qu'une vieille poule molle ! » s'écrie Arnaud, le minuscule moineau.

Et c'est parti pour une incroyable course à travers les nuages !
Au bout de quelques minutes, la joyeuse volée atterrit,
essoufflée mais ravie...

En entrant dans la classe, Clotilde aperçoit une petite chouette effraie qui attend devant le tableau noir.

« Je vous présente Angélique, dit la maîtresse, votre nouvelle camarade. Elle a quitté son vieux grenier pour venir s'installer ici, dans notre forêt. Bien sûr, je compte sur vous pour l'accueillir gentiment... »

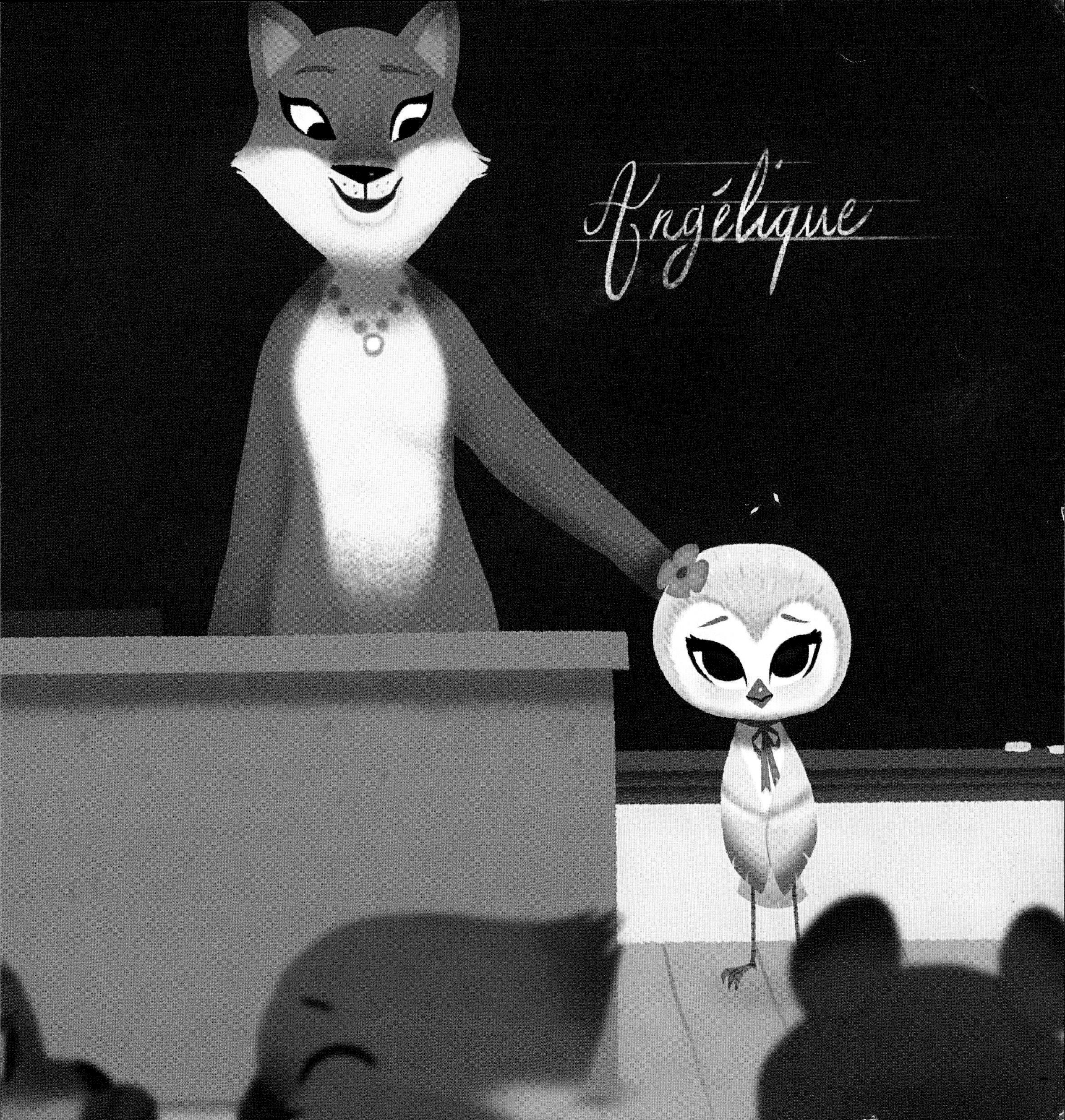
Angélique

Mais dès que la maîtresse a le dos tourné, Yvon le pinson
lance sur Angélique une boulette en papier.
« Alors, comme ça, tu es une chouette EFFRAIE ?
se moque-t-il tout haut. C'est vrai que tu es assez…
EFFRAYANTE. Avec ton plumage blanc,
on dirait un fantôme ! »

Aussitôt, au fond de la classe, quelques élèves se mettent à ricaner, sous l'œil agacé de Clotilde.

Hélas ! À la récréation, Yvon et sa bande
de coquins continuent de faire les malins :
« Au secours, Angélique va nous dévorer !
crie Norbert le pic-vert en courant partout.

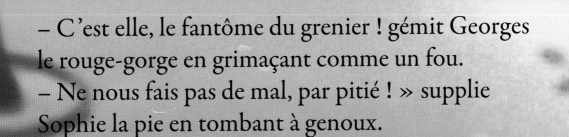

– C'est elle, le fantôme du grenier ! gémit Georges
le rouge-gorge en grimaçant comme un fou.
– Ne nous fais pas de mal, par pitié ! » supplie
Sophie la pie en tombant à genoux.

Avec sagesse, Clotilde entraîne Angélique à l'écart,
sur une balançoire...

« Ignore-les, lui dit-elle en souriant, ils sont bêtes comme
leurs pattes ! Tu sais, moi aussi, avant, j'étais timide...
mais j'ai appris à avoir confiance en moi, et je suis sûre
que tu peux y arriver. D'ailleurs, tu n'es plus seule
maintenant : je suis là ! »

Pour fêter leur amitié nouvelle, à la sortie de l'école,
Clotilde invite Angélique à dormir chez elle.
Dans la chambre, les deux complices s'amusent
à chanter devant la glace...

« J'ai une idée ! s'écrie soudain Clotilde, tout
excitée. Si on inventait un spectacle musical ?
En plus, je fais déjà partie d'une chorale.
À mon avis, Yvon sera si impressionné qu'il te
laissera enfin tranquille ! »

Le lendemain, pendant la leçon de pêche, Yvon ne peut s'empêcher de taquiner Angélique :
« Hé, miss fantôme, ne t'approche pas trop de l'étang… tu risques de faire peur aux poissons !
– Et toi, tu t'es regardé ? intervient Clotilde. Avec tes plumes en bataille, tu as l'air d'un épouvantail ! »

En voyant la tête que fait Yvon, les deux petites chouettes s'enfuient en piquant un fou rire.

Le reste de la semaine, malgré les plaisanteries d'Yvon, Angélique semble de plus en plus heureuse.

Tous les soirs, après la classe, elle accompagne Clotilde à la chorale pour répéter leur spectacle musical, « La Dame Blanche »... L'histoire d'une jolie chouette effraie, prisonnière d'un terrible dragon !

Quand arrive le week-end, le spectacle est presque terminé...
mais pour la petite troupe, pas question de faire la grasse matinée !

Tandis que Clotilde découpe un masque de dragon, Angélique confectionne un costume de princesse.

De leur côté, les familles construisent un magnifique décor de château et, pour nourrir tous ces travailleurs, les écureuils préparent de délicieuses tartes aux fleurs.

21

Enfin, le lundi matin, devant la grille de l'école,
Clotilde et Angélique annoncent avec fierté :
« Ce soir, spectacle musical au clair de lune !
Rendez-vous dans le grand pré ! Tout le monde est invité ! »

En entendant la nouvelle, Yvon et sa bande,
un peu jaloux, se mettent à bouder...

La journée passe vite et, le soir venu, élèves
et parents se hâtent vers le grand pré.
Même Yvon n'a pas pu résister à l'envie
de venir voir le spectacle !

Et là… dès les premières notes de musique… quel talent !
Quelle magie ! Dirigée par Clotilde, la chorale fait des merveilles
et Arnaud le moineau est très drôle en dragon.

À la fin, la chorale se retire. Seules sur scène, Clotilde et Angélique chantent un dernier air en duo.
Puis, sous la lumière, les deux amies se donnent l'aile et saluent, plus radieuses que jamais...

Ému aux larmes, le public applaudit de toutes ses forces !
Quant à Yvon, il regarde Angélique avec un drôle d'air.
On dirait qu'il a des étoiles dans les yeux…

Le lendemain, dans la cour de l'école, Yvon s'approche d'Angélique, les joues légèrement roses.

« J'ai été bête, marmonne-t-il en se tortillant sur ses pattes. C'était super, hier, votre spectacle. D'ailleurs, tu mérites bien ton prénom, Angélique... enfin, je veux dire... tu ressembles à un ange. »

Rayonnante, Angélique se retourne vers Clotilde
et la serre contre elle.

« Jamais je n'aurais réussi tout cela sans ton aide,
lui dit-elle. Tu es ma meilleure amie...

– Et moi, dit Yvon, grâce à vous, j'ai compris la leçon.
Alors, le prochain qui vous embête... nom d'un gâteau sec,
je lui cloue le bec ! »

Direction générale : Gauthier Auzou
Responsable éditoriale : Maya Saenz-Arnaud
Maquette : Mylène Gache
Fabrication : Lucile Pierret
Relecture : Catherine Rigal

Mes p'tits albums

Roucoule est amoureuse

Renard et les trois œufs

Octave ne veut pas grandir

Moustache ne se laisse pas faire

Le loup qui voulait changer de couleur

Petite taupe ouvre-moi ta porte !

Zafo le petit pirate !

La chauve-souris l'étoile

Berlingot est un superhéros

Rosetta n'est pas cracra !

Croquette devient grand frère

Armande la vache qui n'aimait pas ses taches !

Crocky le crocodile a mal aux dents

Robin, le petit écureuil des bois

Le loup qui s'aimait beaucoup trop

La petite souris et la dent

Sa majesté Léonardo n'en fait qu'à sa tête

Petit panda cherche un ami

Séraphin, le prince des dauphins

Martin le pingouin a un nouveau voisin

Mika l'ourson a peur du noir

Le loup qui cherchait une amoureuse

Ferdinand le Papa Goéland

Petit Castor reçoit un drôle de cadeau !

Le loup qui ne voulait plus marcher

Manolo le blaireau se prépare pour l'hiver

Renato aide le Père Noël

Le loup qui voulait faire le tour du monde

Le loup qui voulait être un artiste

Camille veut une nouvelle famille

Chouquette et les Secrets Magiques

Clotilde part en colonie de vacances

Cédric veut être fils unique !

Le loup qui voyageait dans le temps

Pipo raconte n'importe quoi !

Le loup qui fêtait son anniversaire

Sami le ouistiti, prince d'Amazonie

La famille Suricate déménage

Clotilde aide sa nouvelle amie

Chouquette est dans la lune

Moustache le roi des bêtises